D0999853

Los tres chanchitos © Djecja knjiga, Zagreb, Croatia © de esta edición Longseller, 2012
Autora: Andrea Petrlik Huseinović Traducción al español: Mariana Dayan
Adaptación: María Luisa García

Longseller S.A.
Blanco Encalada 2388 (C1428DDL) CABA, Argentina
(011) 4706-3647 / 4706-1235 ventas@longseller.com.ar www.longseller.com.ar

Primera edición

Petrlik Huseinovic, Andrea
Los tres chanchitos / Andrea Perlik Huseinović ; ilustrado por Andrea Petrlik Huseinovic. - 1a ed. - Buenos Aires : Longseller, 2011.
32 p. : il. ; 24x20 cm.

Traducido por: Mariana Dayan
ISBN 978-987-683-062-1

1. Cuentos clásicos Infantiles . I. Petrlik Huseinović, Andrea, ilus. II. Dayan, Mariana, trad. III. Título
CDD 863.928 2

Queda hecho el depósito que marca la ley 11.723.

Esta edición se terminó de imprimir en Triñanes gráfica, Buenos Aires, Argentina, en marzo de 2012.

Los tres chanchitos

Andrea Petrlik

Había una vez tres chanchitos que vivían con su mamá. Cuando fueron lo suficientemente grandes, dejaron el hogar familiar para construir sus propias casitas.

—¡Tengan mucho cuidado! —les recomendó la mamá, secándose emocionada las lágrimas—. ¡Hay un gran lobo feroz que vive en el bosque!

—¡Tonterías! ¿Quién le teme al lobo feroz? —dijeron los chanchitos, hinchándose de orgullo.

El gran lobo realmente vivía en el bosque y se puso muy feliz al escuchar que los chanchitos habían dejado su hogar.

—¡Jo, jo, jo! —se rio el lobo—. No puedo esperar a poner mis garras sobre esos lindos e ingenuos chanchitos.

El mayor de los tres se llamaba Florian y amaba las flores. Cuando los tres hermanos llegaron a un prado florido, Florian dijo:

—Construiré mi casa exactamente aquí.

Justo pasaba un campesino con un atado de paja, y Florian le compró un poco y construyó su casa en un rato.

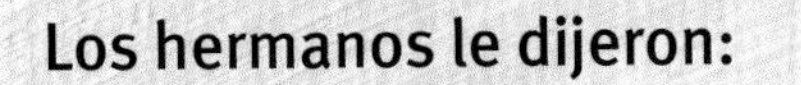

Los hermanos le dijeron:

—Florian, una casa hecha de paja no es muy firme. El lobo podría soplarla y derribarla.

—¡Tonterías! ¿Quién le teme al lobo feroz? —respondió. Y continuó juntando flores del prado, sin preocuparse.

Los otros dos chanchitos siguieron su camino.

Llegó la noche y pequeñas estrellas brillaban en el cielo.

Florian estaba muy contento por haber construido su casita tan rápidamente, pero cuando se estaba preparando para ir a dormir, el gran lobo malvado apareció frente a su puerta y exclamó:

—Chanchito, lindo chanchito, ¡déjame entrar!

Pero Florian respondió:

—No, no y no: jamás podrás pasar. No estoy loco. Nunca te dejaré entrar. Regresa al bosque de donde has venido.

El lobo dijo:

—Si no me dejas entrar, soplaré y soplaré, y ¡tu casa derribaré!

—¡Ja, ja, ja! —se rio Florian, y empezó a cantar—: ¿Quién le teme al lobo feroz, tan atroz?

Pero el lobo sopló y sopló, y voló la casita hecha de paja. Y Florian tuvo que escapar en medio de la noche.

¿Y qué pasó con los otros dos chanchitos?

Al cabo de dos horas de caminar, Sebastián,
el segundo chanchito, estaba muy cansado.

—No puedo seguir más, descansaré sobre esta pila de maderas por un momento —dijo Sebastián—. No, no, en realidad, no descansaré sobre ellas. Las usaré para hacer una casita.

Pablo, el tercer chanchito, dijo:

—Pero Sebastián, una casa hecha de madera tampoco es muy firme, el lobo podría derribarla.

—¡Tonterías! ¿Quién le teme al lobo feroz? —respondió el segundo chanchito, y empezó a construir su casa, para poder descansar lo más pronto posible.

Pablo siguió su camino.

Justo cuando Sebastián terminaba su casa, llegó Florian corriendo desde el bosque.

—¡Pronto, pronto! ¡Entremos a la casa, se acerca el gran lobo feroz! —dijo recobrando el aliento.

Un instante después, el lobo llegó a la casa de Sebastián.

—Chanchitos, lindos chanchitos, déjenme entrar. Si no lo hacen, soplaré y soplaré, y su casa derribaré.

Florian dijo:

—No, no y no: jamás podrás pasar. No estamos locos. No te dejaremos entrar. Derribaste la casita hecha de paja, pero esta es de madera, y es muy firme. Vuelve al bosque de donde has venido.

El lobo sopló una vez, pero la casa siguió en pie.

—¡Ja, ja, ja! ¿No te dijimos que esta casita hecha de madera era firme? —se rieron los chanchitos.

Pero el lobo respiró muy profundamente y sopló, sopló y sopló, y voló la casita. Y los dos chanchitos salieron corriendo tan rápido como pudieron.

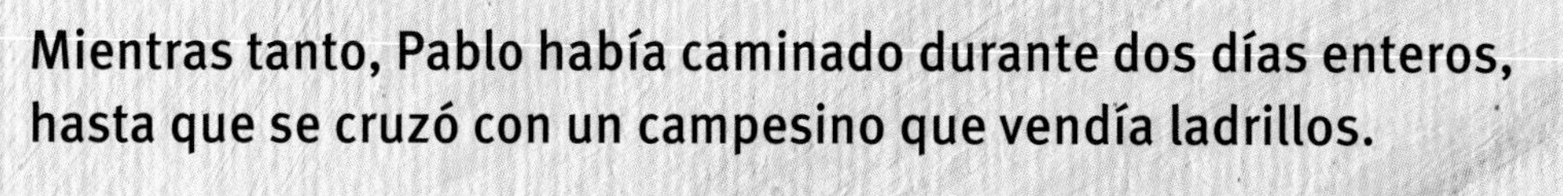

Mientras tanto, Pablo había caminado durante dos días enteros, hasta que se cruzó con un campesino que vendía ladrillos.

Compró algunos y comenzó a construir su pequeña casa. Trabajó durante un día, dos días, tres días, y finalmente la terminó.

"Ahora sí puedo pintar en mi propia casa", pensó Pablo, que era pintor y añoraba un poco de paz y de calma.

Pero justo cuando se estaba preparando para entrar a su casita, Florian y Sebastián llegaron corriendo, y casi sin aliento dijeron:

—¡Rápido, rápido, vayamos adentro de la casa! ¡El gran lobo feroz nos ha estado persiguiendo durante días!

Entraron a la casa y muy pronto el gran lobo apareció ante la puerta.

—Chanchitos, lindos chanchitos, déjenme entrar o soplaré y soplaré, y ¡su casa derribaré!

Florian, Sebastián y Pablo contestaron:

—No, no y no: jamás podrás pasar. No estamos locos. No te dejaremos entrar. Derribaste las casitas de paja y de madera, pero nunca volarás esta. ¡Regresa a tu bosque!

El lobo sopló una vez, pero la casita siguió en pie.

Volvió a soplar con fuerza, una, dos, tres veces, pero la casita no se movió.

El lobo siguió soplando, cada vez con más fuerza, pero la casita seguía en el mismo lugar.

—¡¡Ahora estoy realmente enojado!! —gritó el lobo feroz.

Entonces, respiró profundamente, muy, muy profundamente, y sopló, sopló, sopló y resopló, pero ni de esa manera pudo volar la casa.

Y los tres chanchitos se fueron a dormir muy felices.

El lobo no se dio por vencido y caminó alrededor de la casa toda la noche buscando la manera de atrapar a los tres chanchitos. Y pensó un plan: bajaría por la chimenea.

De repente, los tres chanchitos escucharon un ruido en el techo. Y cuando se asomaron por las ventanas vieron al lobo listo para meterse por la chimenea.

Pablo dijo:

—¡Rápido! ¡Coloquemos una olla con agua caliente bajo la chimenea!

Entonces, cuando el lobo saltó por la chimenea cayó directamente en el agua hirviendo y se quemó la cola terriblemente.

Los chanchitos abrieron la puerta, y el lobo salió corriendo hacia el bosque tan rápido como pudo.

Los tres chanchitos, felices de haber vencido al lobo feroz, vivieron juntos por un tiempo. Pero como Pablo no podía pintar con comodidad, les dijo a sus hermanos que ya era hora de que construyeran sus propias casas. Muy pronto, Florian y Sebastián levantaron sus hogares; y esta vez no cometieron los mismos errores: construyeron firmes casas de ladrillo.

¿Y qué pasó con el lobo?

Algunos dicen que todavía anda por el bosque tratando de enfriar su cola.

Pero una cosa es segura: nunca más volverá a pensar en meterse en las casas donde no fue invitado.